DE STREKEN VAN JUF WIJS

Terence Blacker

DE STREKEN VAN JUF WIJS

Illustraties: Tony Ross

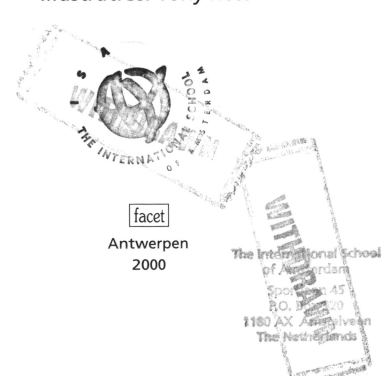

facet

Antwerpen

2000

Voor Xan

35571

CIP GEGEVENS KONINKLIJKE BIBLIOTHEEK - DEN HAAG
C.I.P. KONINKLIJKE BIBLIOTHEEK ALBERT I

Blacker, Terence

De streken van Juf Wijs / Terence Blacker [vertaald uit het Engels door
Marie-Louise van As]. – Antwerpen: Facet, 2000
Orig. titel: In Stitches with Ms Wiz
Oorspronkelijke uitgave : Macmillan Children's Books, London 1996
ISBN 90 5016 279 7
Doelgroep: Heksen, ziek zijn, humor
NUGI 220

Wettelijk depot D/2000/4587/2
Omslagontwerp: Tony Ross

Copyright © Terence Blacker 1989
Copyright © illustraties Tony Ross 1996

Eerste druk januari 2000

HOOFDSTUK EEN

Pijn op donderdag

Heb je wel eens een ambulance gezien die andere auto's inhaalde en met loeiende sirene en blauw zwaailicht door rood scheurde? En leek het je toen spannend om mee te rijden, achter de verduisterde ramen?

Nou, zo spannend is dat helemaal niet.

Jeroen Verhaag hield van snelheid. Hij had altijd brandweerman of politieman willen worden, zodat hij later zo hard kon rijden als hij wilde. Nu hij achter in de ambulance lag en met een snelheid van bijna honderd kilometer per uur door een drukke straat reed, kon het hem niets meer schelen. Hij zou nu zelfs het liefst thuis in bed liggen, zonder die verschrikkelijke buikpijn.

Hij had nog nooit zulke erge buikpijn gehad en het werd steeds erger.

Op school had hij zich niet kunnen concentreren, zó'n pijn deed het. Tijdens de rekenles was hij zelfs gaan huilen.

'Alstublieft, meester.' Karin, een vriendinnetje van Jeroen, had haar vinger opgestoken. 'Jeroen voelt zich niet lekker.'

Meester Klaassen, de nieuwe leraar, was op het bord blijven schrijven. 'Dat verbaast me niks,' had hij gezegd. 'Toen ik vanmorgen naar zijn werk keek, voelde ik me ook niet lekker.'

'Maar meester –' had Karin geprotesteerd.

'Leuk geprobeerd, Jeroen,' was het antwoord van de meester geweest. 'Net op tijd voor de rekentoets maandag. Wel érg toevallig, als je het mij vraagt.'

De ambulance ging met piepende banden door de bocht. Jeroen kreunde.

Was juf Wijs nog maar op school geweest, dacht hij. Zij was het vorige trimester hun juf en altijd als er problemen waren, maakte ze daar met haar toverkracht een einde aan. Toveren was iets wat meester Klaassen duidelijk niet kon.

Jeroen was na school naar huis gestrompeld, en had zijn vader daar zoals altijd aan zijn auto zien knutselen.

'Pap,' had Jeroen tegen de benen gezegd die onder de auto uitstaken. 'Ik heb buikpijn.'

Zijn vader was gewoon doorgegaan met werken. 'Ben je al naar de wc geweest?' had hij na een tijdje gevraagd.

Dat was zo'n beetje alles wat zijn vader van geneeskunde afwist. Zelfs toen zijn zusje Jenny een keer kiespijn had gehad, had hij die vraag gesteld. Ben je al naar de wc geweest?

Tegen de tijd dat zijn moeder terug was gekomen van de bieb, waar ze werkte, had Jeroen al twee keer overgegeven.

'Voel je je niet goed?' had ze vrolijk gevraagd. 'Een beetje beroerd?'

'Nee. Ziek.'

'Waarom ga je niet buiten spelen?'

'Daar ben ik te ziek voor.'

'Bel de dokter, pap,' had mevrouw Verhaag toen gezegd. 'Ik denk dat het iets ernstigs is.'

Het voelde in ieder geval wel ernstig, dacht Jeroen toen de ambulance eindelijk stopte. De deuren vlogen open. Jeroen werd op een karretje gelegd en het ziekenhuis binnengereden.

De verpleegster boog zich over hem heen. 'Hoe voel je je?' vroeg ze.

Jeroen glimlachte flauw. 'Niet erg best,' zei hij.

'Kinderafdeling,' zei de verpleegster tegen de man die Jeroens karretje duwde. 'De dokter komt zo. Ik zal de operatiekamer klaar laten maken.'

De andere kinderen in de slaapzaal staarden Jeroen aan toen de verpleegster de gordijnen om zijn bed dichttrok.

'Doe je kleren uit en trek dit aan.'

Ze gaf hem iets wat op een nachthemd leek.

'Ik ben een jongen,' protesteerde hij zwakjes.

'En dit is een nachthemd,' zei de verpleegster. 'Schiet op. De dokter kan ieder moment hier zijn.'

Jeroen had net zijn nachthemd aangetrokken, toen een lange man in een witte jas zijn hoofd door de gordijnen stak. Hij ging naast Jeroens bed staan en keek naar hem als een hond naar een lekkere kluif. Achter hem stond een andere dokter. Ze droeg haar donkere haar in een knot en had een vreemde bril op haar neus. Haar glimlach deed hem aan iemand denken.

'Laten we je maar snel even onderzoeken,' zei de dokter, en drukte met zijn koude handen rechts op de buik van Jeroen.

'Au,' kreunde Jeroen.

'Mm. Doet dat pijn?'

'Ja,' zei Jeroen.

De dokter wendde zich tot de verpleegster. 'Zijn zijn ouders hier?' vroeg hij.

'Die komen iets later,' antwoordde ze. 'Blijkbaar probeerden ze de ambulance te volgen en raakten ze onderweg een bus. Ze zijn niet gewond. Ze belden net om toestemming te geven voor de operatie.'

Jeroen kreunde. Uitgerekend als hij voor het eerst van zijn leven in het ziekenhuis lag, botste zijn vader tegen een bus op terwijl hij de ambulance achtervolgde. Echt iets voor zijn vader.

'Je moet een kleine operatie ondergaan,' zei de dokter tegen Jeroen alsof het om iets leuks ging. 'We moeten je blindedarm eruit halen, zodat je je weer beter voelt.'

'Wat is een blindedarm?'

'Dat is een klein, nutteloos stukje kraakbeen in je ingewanden,' legde de dokter uit. 'Ik beloof je dat je het niet zult missen. Maar nu moeten we opschieten, want die ondeugende blindedarm moet er snel uit.'

Geweldig, dacht Jeroen toen ze hem weer wegreden. Ik word zo dadelijk opengesneden door iemand die het over een 'ondeugende blindedarm' heeft.

Er was nog iets wat hem dwars zat. Die andere dokter. Waar had hij haar toch eerder gezien? Hij wou dat zij de operatie uitvoerde. Er waren een heleboel mensen in het ziekenhuis die glimlachten, maar zij was anders. Zij glimlachte alsof ze het echt meende.

'Meneer Jansen hier is de anesthesist,' zei de dokter toen Jeroen in een andere kamer aankwam. 'Hij geeft je een prikje in je arm en dan val je in slaap.'

Lag Jeroen al te dromen? De vrouwelijke dokter leek hem een vette knipoog te geven, net alsof ze dikke vrienden waren. Toen de anesthesist zich over zijn arm heen boog, hoorde hij een bekend

gezoem. De naald van de spuit trok
plotseling krom, net als een bloem die
verwelkt.

Dat kon gewoon niet waar zijn, of toch
wel? Jeroen bekeek haar nog eens goed.
Haar haren zagen er anders uit en ze
droeg ook nooit een bril, maar die zwarte
nagellak kwam hem bekend voor. Waar
had hij die toch eerder gezien?

'Vreemd,' mompelde de anesthesist,
terwijl hij een andere naald pakte.

'Er gebeuren de laatste tijd wel meer

vreemde dingen in dit ziekenhuis,' zei de dokter. 'Hè, dokter Wijsheid?'

'Dokter Wijsheid! Dat kon niet anders! Ze had hem beloofd terug te komen. Wat had ze ook alweer precies gezegd? 'Ik kom overal waar ze een beetje toverij kunnen gebruiken.' En dat was precies wat hij nu nodig had.

Jeroen voelde de naald in zijn arm gaan. Hij hoorde een stem zeggen: 'Tel nu even tot drie.'

'Hoi juf... W...'

En Jeroen lag al in een diepe slaap.

HOOFDSTUK TWEE

Toverij op vrijdag

Opgenomen!

Het woord ging de volgende dag als een lopend vuurtje door de school. De Moors tweeling, die Jeroens buren kenden, zeiden dat hij een paar dagen weg zou blijven. Toen het pauze was, ging het gerucht al dat hij de rest van het trimester thuis zou zijn, en tussen de middag meende iedereen zelfs dat Jeroen waarschijnlijk nooit meer op school zou komen.

'Wat betekent "opgenomen", meester?' vroeg Karin tijdens de eerste les aan meester Klaassen.

'Dat betekent dat iemand in het ziekenhuis moet blijven,' zei de leraar met een vriendelijke glimlach. 'Waarom vraag je dat, Karin? Is er iemand in jouw familie ziek?'

'Nee, het is Jeroen, meester. Weet u nog dat hij zulke erge buikpijn had tijdens de rekenles?'

'Jeroen?' Meester Klaassen keek bezorgd. 'Ik herinner me niks over buikpijn.'

'Meester!' protesteerden de kinderen.

'Oké, oké. Ik weet het weer.'

'Nou, die buikpijn werd steeds maar erger,' vertelde Karin, die het nu leuk begon te vinden. ''s Avonds schreeuwde hij het uit van de pijn.'

'Doe niet zo stom, Karin,' zei meester Klaassen nerveus. 'Eh... echt waar?'

'Opgenomen,' zei Karin dramatisch. Ze keek naar Jeroens lege plaats. 'Blijkbaar hadden de dokters maar één vraag: *"Waarom is dit kind niet eerder naar het ziekenhuis gebracht?"* Er komt een onderzoek.'

Meester Klaassen was erg bleek geworden. 'Ehm. Ik moet even naar de directeur,' zei hij, terwijl hij zich met een bezorgde, gejaagde blik naar de deur haastte. 'Gaan jullie maar vast voor jullie rekentoets leren. Ik ben zo terug.'

De eerste keer dat Jeroen na de operatie wakker werd, voelde hij zich misselijk en duizelig. Er stak een slangetje in zijn arm, hij had pijn in zijn zij en zijn ouders stonden tegen hem te praten. Hij vond dit bijna erger dan de buikpijn en viel weer in slaap.

's Avonds werd hij voor de tweede keer wakker. Zijn ouders waren weg, maar juf Wijs stond naast zijn bed.

'Juf Wijs!' zei Jeroen zwakjes.

'Dokter Wijsheid tot uw dienst. Ik dacht dat je wel wat toverij kunt gebruiken.'

'Kun je toveren dat ik me beter voel?'

'Dat kan ik niet,' zei juf Wijs, terwijl ze de gordijnen rondom zijn bed dichttrok, 'maar misschien kan ik je een beetje opvrolijken.'

Ze voelde in een binnenzak van haar witte jas en haalde er een porseleinen kat uit.

'Hetty kan op je passen,' beloofde ze, en zette de kat op het nachtkastje. 'Als je me nodig hebt, hoef je alleen maar op zijn kop te tikken.'

'Bedankt,' zei Jeroen hees.

'En je hebt ook gezelschap nodig,' vond juf Wijs. Ze stak haar hand in een andere zak en haalde haar tamme toverrat tevoorschijn. 'Herbert blijft dus bij je totdat je beter bent.'

Ze zette Herbert de rat op het bed. Die snuffelde een beetje rond en wilde net onder het laken verdwijnen, toen juf Wijs zei: 'Nee Herbert, dat is niet netjes. Onder het kussen.'

'Maar–' Jeroen probeerde zich te concentreren. 'Hoe bent u hier terechtgekomen?'

'Ze verwachtten een andere dokter. Ik wist toevallig dat die ziek was. Dus ben ik zelf maar gekomen. Ze hebben hier zoveel dokters nodig, dat ze me niet eens vroegen om mijn diploma te laten zien.'

'Te gek,' zei Jeroen.

'Denk eraan,' waarschuwde juf Wijs, terwijl ze hem goed instopte, 'je mag de dokters en verpleegsters niet over ons geheimpje vertellen. Ze vinden het vast niet goed als er in het ziekenhuis wordt getoverd. Misschien denken ze dan zelfs dat ik een soort heks ben.'

'Mag ik het aan de andere kinderen vertellen?'

Juf Wijs keek om zich heen en glimlachte. 'Natuurlijk,' zei ze.

'Ze is helemaal geen heks.'

De jongen die naast Jeroen lag, heette Frank. Hij had last van zijn rug en geloofde niet in toverij.

'Heksen zijn voor watjes,' vond hij. Hetty,

de porseleinen kat, siste even en haar
ogen lichtten op.

'Leuk speelgoed,' zei Frank, niet erg
onder de indruk. Hij pakte zijn tijdschrift
met voetbalplaatjes en begon erin te
bladeren.

Jeroen was te moe om hem tegen te
spreken.

'Wacht maar af,' zei hij.

De volgende morgen kreeg de zaal bezoek
van de dokter. Hij had een groep
studenten bij zich die geneeskunde
studeerden.

'Gisteren heb ik bij deze jongen de
blindedarm eruit gehaald,' vertelde de
dokter toen hij bij Jeroens bed aankwam.
Hij draaide zich om naar juf Wijs, die
achteraan in de groep stond. 'Hoe gaat
het met hem, dokter Wijsheid?'

'Hij herstelt goed,' zei juf Wijs, terwijl ze
stiekem naar Jeroen glimlachte.

De dokter haalde een klein flesje uit zijn

21

zak en liet het aan de studenten zien.
'Hier is die blindedarm. Zoals jullie zien
was hij erg ontstoken.'

De studenten keken naar het flesje met
vloeistof. Het leek net alsof er een rode
rups in dreef. De dokter zette het flesje op
het nachtkastje naast Jeroens bed.

'Laten we de patiënt eens bekijken,' zei
hij. 'Juffrouw Gerrits, zou u naar zijn hart
willen luisteren?'

Een van de studenten stapte naar voren.
Ze stopte een stethoscoop in haar oren en

duwde het andere eind op Jeroens borst.
Er klonk een vreemd gezoem op de plek
waar juf Wijs stond. De studente keek
verbaasd.

'Nou?' vroeg de dokter. 'Wat hoor je?'

'Het lijkt wel discomuziek,' antwoordde
de studente.

Jeroen knipoogde naar Frank, die zijn
nieuwsgierigheid nu niet kon verbergen.

'Geef me die stethoscoop,' zei de dokter.
Hij luisterde naar Jeroens hart. 'Heel erg
vreemd,' vond hij.

'Meneer–' zei Frank. 'Er is een…'

Maar de dokter had het te druk met zijn stethoscoop om op iets anders te letten.

Nu zag Jeroen waar Frank naar lag te staren. Herbert de rat was onder het kussen uit gekropen en liep nu onder de sprei door naar het voeteneind. Terwijl de dokter en zijn studenten de stethoscoop onderzochten, kwam Herbert tevoorschijn en rende naar het flesje met de blindedarm. Hij pakte het in zijn bek en verdween er snel mee onder het beddengoed.

'Meneer –' zei Frank weer.

Jeroen legde een vinger op zijn lippen en schudde langzaam zijn hoofd.

'Ja, Frank?' vroeg Juf Wijs onschuldig. 'Is er iets?'

'Eh, laat maar,' zei Frank.

HOOFDSTUK DRIE

Bezoek op zaterdag

Het was zaterdagmorgen, Jeroens derde dag zonder blindedarm. Karin en Dikkie mochten hem van hun ouders in het ziekenhuis bezoeken.

'Hoe voel je je?' vroeg Dikkie.

'Niet slecht,' zei Jeroen. 'Vooral als je bedenkt dat het een grote operatie was.'

'Grote operatie,' snoof Frank in het bed naast dat van Jeroen. 'Ze hebben alleen maar een klein, nutteloos stukje kraakbeen weggehaald.'

'O nee!' Karin keek geschokt. 'Bedoel je dat het een hersenoperatie was?'

Jeroen begon te lachen en greep toen naar zijn buik. 'Niet doen,' zei hij. 'Het doet pijn als ik lach.'

'Ik vind hem een interessante buurjongen,' ging Frank verder. 'Hij denkt dat zijn dokter een heks is.'

Dikkie keek verbaasd. 'Is het...?'

'Ja,' zei Jeroen glimlachend.

'En hij heeft ook nog een rat onder zijn kussen,' riep Frank.

'Sst!' siste Jeroen. 'Dat mag niemand weten, anders krijg ik problemen.'

'Ah,' zei Frank. 'Klein probleempje. Iemand weet het al. Sinds vijf minuten.'

Op datzelfde moment klonk er een schreeuw aan de andere kant van de zaal.

Nieuws gaat altijd als een lopend vuurtje door het ziekenhuis. Frank had het aan Linda verteld, die met astma in het bed naast hem lag. Zij had het tegen Martijn gezegd, die met twee gebroken benen op zijn kop hing. Martijn had het nieuwtje aan Manon doorgegeven, die voor onderzoek in het ziekenhuis lag. Manon vertelde het toen door aan Amber, die net haar amandelen had laten knippen.

Amber had het tegen Tom gefluisterd, die eczeem had. Tom had het tegen zijn moeder verteld, en daar kwam de schreeuw aan de andere kant van de zaal vandaan.

'Luister eens, kinderen,' zei de hoofdverpleegster, terwijl Toms moeder op een bed lag bij te komen. 'Misschien hebben jullie gehoord dat er hier een klein, harig dier rondloopt...'

'Ze bedoelt een rat,' zei Frank. Toms moeder kreunde.

'... en kleine, harige dieren zijn niet welkom in ziekenhuizen, zelfs als het huisdieren zijn. De verpleegsters gaan daarom de afdeling doorzoeken.'

'Wat gaat u doen als ze hem vinden?' vroeg Jeroen.

'In beslag nemen, natuurlijk,' zei de hoofdverpleegster. 'Gelukkig is er beneden een laboratorium. Daar kunnen ze altijd nieuwe ratten en muizen gebruiken.'

Karin en Dikkie hapten naar lucht. Jeroen boog zich kalm naar het nachtkastje en tikte op Hetty's kop. Haar ogen flikkerden.

'Goedemorgen, zuster,' zei juf Wijs, die binnen een paar seconden naast hen stond.

'Goedemorgen, dokter Wijsheid.'

Juf Wijs keek naar de verpleegsters die onder de bedden en in de kasten aan het zoeken waren.

'Hemeltje,' zei ze. 'Wat is hier aan de hand?'

De hoofdverpleegster fluisterde iets in haar oor.

'Een *rat*?' Juf Wijs leek geschokt. 'In dat geval zal ik het beddengoed van Jeroen controleren en laat ik het verder aan u over.'

Juf Wijs haastte zich naar Jeroens bed en trok de gordijnen dicht.

'Bent u weer kattenkwaad aan het uithalen, juf Wijs?' vroeg Karin zachtjes.

'Ik probeer Jeroen alleen maar een beetje op te vrolijken,' zei juf Wijs, terwijl ze onder het kussen voelde. Even later haalde ze Herbert er onder vandaan. 'Heb je zo'n flessending?' vroeg ze aan Jeroen.

'U bedoelt toch niet –?'

'Jawel. Zo'n fles waarin je kunt plassen als je in bed ligt.'

Jeroen gaf de fles aan juf Wijs. Ze had Herbert er net in gestopt, toen de hoofdverpleegster de gordijnen opentrok.

'Jeroen is een brave jongen, hè'? vroeg ze, terwijl ze naar de fles keek.

'Eh, ja.'

'Geef maar aan mij, dokter,' zei de hoofdverpleegster. 'Ik zal hem even voor u wegbrengen.' En weg was ze, met de fles. Toen ze halverwege de zaal was, besloot Herbert met zijn kop tevoorschijn te komen. De hoofdverpleegster gilde en liet de fles vallen.

'Wat is hier in hemelsnaam aan de hand?' De dokter had het kabaal gehoord

en stond nu in de deuropening. Met een bibberende hand wees de hoofdverpleegster naar Herbert die brutaal naar hen stond te kijken.

'Iedereen aan de kant,' riep de dokter, terwijl hij een lange bezem pakte die tegen de muur stond. 'Als je niet tegen geplette ratten kunt, moet je even de andere kant opkijken.'

Hij tilde de bezem boven zijn hoofd op. Meteen klonk er gezoem op de plek waar juf Wijs stond. Plotseling leek de bezem een eigen leven te leiden. Hij sprong uit de handen van de dokter en duwde hem naar een leeg bed in de hoek. Toen de dokter achterover viel, gingen de gordijnen rondom het bed dicht en klonken er geluiden van een gevecht.

Herbert leek niet erg onder de indruk te zijn en liep onopgemerkt de zaal uit.

Juf Wijs stak haar handen op. 'Kalm blijven, zei ze. 'De rat is de zaal uit. Ik weet zeker dat hij weer tevoorschijn zal komen –' even keek ze bezorgd '– eh, ergens.'

'Hebt u die bezem gezien, dokter?' vroeg de hoofdverpleegster hijgend.

'Ik weet zeker dat daar een logische verklaring voor is,' zei juf Wijs, terwijl ze naar de deur liep.

Vanuit het bed in de hoek klonk een gedempt protest.

'En hoe zit het dan met de dokter?' vroeg de hoofdverpleegster.

Juf Wijs trok de gordijnen open. De dokter was van top tot teen in verband gewikkeld. Hij leek net een Egyptische mummie.

'Laat me eruit!' riep hij, snakkend naar adem. 'De boosdoener zal hiervoor boeten!'

'Wauw,' zei Frank, toen de dokter de zaal uit werd gereden om het verband eraf te laten halen. 'Die juf Wijs van jou is de vreemdste dokter die ik ooit heb gezien.'

'Als jij je mond had gehouden, zou Herbert nu niet door het ziekenhuis zwerven,' meende Karin.

'Maak je maar geen zorgen om Herbert,' zei Jeroen. 'Hij is niet voor niks een toverrat.'

Frank trok het beddengoed tot op zijn kin. 'Die juf Wijs van jou moet uit mijn buurt blijven,' waarschuwde hij. 'Ze mag dan een goeie heks zijn, als dokter vertrouw ik haar niet.'

Karin keek op haar horloge. 'We kunnen beter gaan, Dikkie,' zei ze. 'We moeten nog voor onze rekentoets leren.'

'Wacht even,' zei hij. 'Ik wil Jeroen nog wat vragen.'

Jeroen zuchtte.

'Aan welke kant zat die buikpijn van jou?' vroeg Dikkie. Hij leek heel diep na te denken, want hij had zojuist een briljant idee gekregen.

HOOFDSTUK VIER

Lunch op zondag

Meester Klaassen was bezorgd.

Dit was pas zijn tweede jaar als leraar en hij vond het erg moeilijk. De kinderen leken geen respect voor hem te hebben. Ze deden precies het tegenovergestelde van wat hij van hen vroeg. Ze lachten hem achter zijn rug uit en haalden altijd grapjes met hem uit. Daarom meende hij ook dat de buikpijn van Jeroen een grapje was geweest. 's Maandags was er een belangrijke rekentoets en Jeroen had een hekel aan rekenen. Maar het was geen grapje. De buikpijn was echt. Jeroen lag in het ziekenhuis en meester Klaassen zat in de problemen.

Meneer Bertrand, de directeur van de

school, was niet blij toen hij hoorde wat er
gebeurd was.

'Dit is niet zo mooi,' had hij gezegd.
'Kinderen zijn tenslotte mensen.'

'O ja?' had meester Klaassen gevraagd.
Hij wist het gewoon niet meer.

'Waarom probeer je niet eens aardig te
zijn voor de verandering?' De directeur
klonk vermoeid.

'Ja, meneer Bertrand.'

Daarom ging meester Klaassen die
zondagmorgen naar het ziekenhuis. Hij
had bloemen en een tros druiven gekocht

en ook een kaart om Jeroen beterschap te wensen.

Als hij aardig tegen Jeroen was, zouden de kinderen misschien ook aardig tegen hem zijn. Het was het proberen waard.

Juf Wijs was ook bezorgd. Sinds de bezem met de dokter de vloer had aangeveegd en hij als een kerstcadeau was ingepakt, had de dokter haar met een verdachte blik bekeken.

'Vreemd,' zei hij toen ze de hele kinderafdeling bezochten. 'U verschijnt als bij toverslag hier in het ziekenhuis en ineens gebeuren er vreemde dingen. Naalden die buigen, stethoscopen die muziek maken, ratten. Waar is dat dier trouwens?'

Juf Wijs schudde haar hoofd. Ze had geen flauw idee waar Herbert was. Stiekem was ze bang dat hij naar het laboratorium zou gaan. Hij kon soms behoorlijk ondeugend zijn.

'Ja, het is nogal vreemd,' vond ze.

'Bovendien bent u er nooit als er een dokter nodig is.'

Juf Wijs lachte. 'Misschien is dat maar goed ook,' zei ze.

'Goedemorgen,' riep Jeroens vader tegen de hoofdverpleegster toen hij 's morgens op bezoek kwam. 'Is hij al naar de wc geweest?'

'Pap!' protesteerde Jeroen.

'Nog niet,' zei de hoofdverpleegster

glimlachend. 'Het duurt even na een operatie aan de blindedarm. Als hij eenmaal is geweest, weten we dat hij echt aan de beterende hand is.'

Jeroen zag een bekend figuur in de deuropening staan. Iemand die in de war leek te zijn. Eindelijk zag meester Klaassen hem liggen.

'Hallo, Jeroen,' zei hij. 'Ik heb wat voor je meegebracht.'

'Bedankt,' zei Jeroen. 'Dit zijn mijn ouders en mijn zusje. Dit is meester Klaassen.'

De glimlach verdween van meester Klaassens gezicht.

'Het... het was niet mijn schuld,' stotterde hij. 'Ze zeggen altijd dat ze buikpijn hebben. Of oorpijn. Of dat ze zich misselijk voelen. Vooral als er een rekentoets aan zit te komen. Je weet gewoon niet meer wie je moet geloven. Kinderen zijn zulke leugenaars. Ik bedoel niet Jeroen, maar de anderen... Ik wist niet dat hij last had van zijn blindedarm. Ik ben immers geen dokter. Mijn schuld is het niet. Of wel?'

'Maakt u zich maar geen zorgen, meneer Klaassen,' zei Jeroens moeder. 'Iedereen maakt wel eens een fout.'

Er viel een pijnlijke stilte. Na een tijdje vroeg Jeroen: 'Wilt u mijn blindedarm zien?'

***

Het was een vermoeiende ochtend voor Jeroen. Hij werd altijd al moe van meester Klaassen. Maar toekijken hoe hij indruk probeerde te maken op zijn ouders, maakte het alleen maar erger. Toen de verpleegster hem zijn middageten op een dienblad kwam brengen, had hij helemaal geen honger.

'Kom nou, Jeroen,' smeekte zijn moeder. 'Je wordt nooit beter als je niet eet.'

'Ik heb geen zin in plastic kip met draderige rode kool,' klaagde Jeroen.

'Mjam,' zei meester Klaassen hard. 'Ik vind dat het er lekker uit ziet.'

Waarom juf Wijs precies op dat moment de zaal binnenkwam, is Jeroen nooit te weten gekomen. Ze deed net alsof ze naar Tom stond te kijken, maar door het zoemende geluid dat ze maakte, wist Jeroen dat ze iets van plan was.

Het flesje met zijn blindedarm stond op het nachtkastje achter meester Klaassen en zijn ouders. Daardoor zagen alleen Jeroen en Frank dat de fles geluidloos openging. Als een echte rups wriemelde de blindedarm zich eruit.

'Eet nou wat,' zei zijn vader. 'Een hapje voor ieder van ons.' De blindedarm kroop over de rand van het nachtkastje.

'Het wordt koud,' zei zijn zusje.

Jeroen was sprakeloos. De blindedarm was op weg naar het dienblad... en verdween tussen de rode kool.

'Weet je wat,' zei meester Klaassen. 'Ik neem eerst een hap, en dan jij.'

'Ik denk niet –'

'Hier ligt een extra lepel,' viel Frank hem met een onschuldige glimlach in de rede.

'Eh, meester –' zei Jeroen.

Maar het was al te laat. De leraar stak zijn lepel in de rode kool. Jeroen sloot zijn ogen. Toen hij ze weer opende, stond meester Klaassen met een ietwat gepijnigde glimlach te kauwen. De blindedarm was verdwenen.

'Heerlijk,' zei meester Klaassen. Het kostte hem moeite om het eten door te slikken.

Jeroen gluurde naar juf Wijs. Hij vond echt dat ze deze keer te ver was gegaan. Ze haalde hulpeloos haar schouders op.

'Wat vreemd,' zei Frank, terwijl hij naar het lege flesje wees. 'Je blindedarm is verdwenen.'

'Ja, ik zie het,' antwoordde Jeroen.

'Grappig hoeveel een blindedarm op rode kool lijkt,' meende Frank.

Meester Klaassen keek eerst naar het

lege flesje en toen naar het bord met rode kool. Hij voelde zich ineens een beetje misselijk.

'Ik denk dat ik nu maar beter kan gaan,' zei hij, terwijl hij wankelend opstond.

'Dag, meester,' riep Jeroen. 'Leuk dat u even langskwam.'

Meester Klaassen liep snel het ziekenhuis uit en haastte zich naar zijn auto. Het kon toch niet waar zijn, of wel? Die rode kool was inderdaad een beetje taai.

Misschien werd het verhaal wel bekend. Jeroen zou het vast aan iedereen vertellen. Het kwam waarschijnlijk in de plaatselijke krant te staan. Hij zag de koppen al voor zich: 'GEMENE LERAAR EET BLINDEDARM VAN LEERLING'.

'Waarom ik?' riep hij tegen een leeg parkeerterrein. Hij schopte tegen zijn auto. Dat deed pijn. 'Waarom ben ik altijd de pineut?'

HOOFDSTUK VIJF

Kabaal op zondag

Juf Wijs had overal naar Herbert gezocht.
Ze was bij alle afdelingen in het
ziekenhuis langs geweest. Ze had bij de
receptie gekeken en zelfs in de keuken
gezocht. De enige plek die ze nog niet had
gehad, was het laboratorium, maar die
was tijdens het weekend gesloten.

Nu was het maandagochtend en juf Wijs
haastte zich op weg naar het
laboratorium. Het was haar laatste kans.
Haar leven zou niet meer hetzelfde zijn
zonder Herbert.

'Dokter Wijsheid!'

Juf Wijs hoorde een bekende stem toen
ze haastig door de gang liep. Ze draaide
zich om en zag de dokter.

'Waar gaat u naartoe?' vroeg hij.

'Ik ben op weg naar het laboratorium,'
zei juf Wijs. 'Eh, ik interesseer me voor een
experiment dat ze daar aan het uitvoeren
zijn.'

'U bent die rat aan het zoeken, hè?'

'Rat?'

'Weet u wat ik denk?' De dokter bracht
zijn gezicht dicht bij dat van haar. 'Ik denk
dat u helemaal geen dokter bent. Ik heb
gezien hoe bleek u wordt als u bloed ziet.
U bent er nooit als ik hulp nodig heb

tijdens een operatie. Ik denk dat u een
indringster bent.'

Juf Wijs glimlachte. Ze vroeg zich af of
ze hem in een konijn moest veranderen.
Misschien toch maar niet. De mensen
zouden het erg verdacht vinden als er een
konijn met een stethoscoop door het
ziekenhuis huppelde.

'Ik ga uw diploma controleren,' zei de
dokter. 'Als blijkt dat u geen echte dokter
bent, bel ik de politie. Net doen alsof u
een dokter bent is een ernstige zaak.' Hij
glimlachte koeltjes. 'Dan sturen ze u vast
naar de gevangenis.'

Jeroen zat op de rand van zijn bed.
Hoewel zijn buik nog pijn deed en hij zich
een beetje slap voelde, ging het al beter
met hem. Hij zou die morgen met zijn
ouders mee naar huis gaan.

'We moeten dus afscheid nemen van
elkaar,' zei juf Wijs, die zoals gewoonlijk
alle afdelingen bezocht. 'Je hechtingen

mogen er over een paar dagen uit en dan ben je weer de oude.'

'Bedankt voor alle goede zorgen,' zei Jeroen. 'Je blindedarm weg laten halen is helemaal niet zo erg.'

'Ik denk dat je zo snel mogelijk naar meester Klaassen moet gaan,' zei juf Wijs. 'Hij is tenslotte bij jou op bezoek geweest.'

'Doe nog een paar toverkunstjes, dokter,' zei Frank. 'Ik wil wat te vertellen hebben als ik morgen weer thuis ben.'

'Nee, Frank. Ik ga vandaag weg.'

'En Herbert dan?' vroeg Jeroen.

'Die moet maar voor zichzelf zorgen,' zei juf Wijs. 'Ik kan hem nergens vinden.'

Op dat moment vloog de deur van de zaal open en kwam de dokter binnen. Zijn witte jas wapperde om hem heen. Hij had twee politiemannen bij zich.

'Daar heb je haar!' zei hij, terwijl hij naar juf Wijs wees. 'Zij is de indringster.'

'Maar dat is dokter Wijsheid,' zei de hoofdverpleegster.

'Dokter? Ha!' De stem van de dokter echode door de zaal. De twee politiemannen liepen op juf Wijs af.

Een van hen had een schrijfblok tevoorschijn gehaald en vroeg: 'Bent u dokter of mevrouw Dorine Wijs –?'

Op datzelfde moment zwaaiden de klapdeuren achter de dokter open en een witte golf levende, piepende beestjes stroomde de zaal binnen.

'Wat is dit in hemelsnaam?' hijgde de dokter.

Muizen! Honderden muizen, die allemaal over de vloer krioelden, in de gordijnen klommen en ieder hoekje verkenden. Midden tussen de muizen stond Herbert op zijn achterste pootjes. Hij keek om zich heen, net als een generaal die het slagveld bekijkt.

'Daar ben je, Herbert,' zei juf Wijs. Ze bukte zich om hem op te pakken. 'Dus je was echt in het laboratorium, hè? Om alle muizen te bevrijden.'

Jeroen baande zich een weg door de muizen en fluisterde iets in het oor van de dokter.

'Dokter Wijsheid,' riep de dokter boven het kabaal uit. 'Als u het ziekenhuis van deze dieren verlost, mag u gaan. Ik zal mijn aanklacht bij de politie intrekken.'

Juf Wijs stak haar hand op en floot. De muizen bleven stokstijf staan en staarden haar met hun roze oogjes aan. Ze tilde Herbert op en keek voor de laatste keer de zaal rond.

'Dank je, Jeroen,' zei ze vrolijk. 'Ik zie je binnenkort wel weer eens.'

'En mij ook,' zei Frank.

'Natuurlijk. Altijd wanneer kinderen een beetje toverij kunnen gebruiken. Dag allemaal.' Ze zwaaide naar de kinderen voordat ze de zaal verliet. Het muizenleger van Herbert liep haar achterna.

'En zo verloste juf Wijs het ziekenhuis van

een muizenplaag,' vertelde Jeroen die middag tegen de klas op school. Zelfs meester Klaassen leek onder de indruk. Jeroen had van hem tijdens de les over het ziekenhuis mogen vertellen.

'Wat gaat ze met de muizen doen?' vroeg Karin.

'Naar het platteland brengen en ze daar loslaten, denk ik,' zei Jeroen.

Alex stak zijn hand op. 'Mogen we je blindedarm zien?' vroeg hij. 'Karin zei dat je hem in een potje hebt bewaard.'

'Goed, en nu weer aan het werk,' viel meester Klaassen hem nerveus in de rede.

'O, die heb ik weggegooid,' zei Jeroen. 'Wat moet ik nou met een oud stukje kraakbeen?'

Hij gluurde naar meester Klaassen, die opgelucht glimlachte. Misschien had de directeur gelijk. Kinderen waren ook mensen.

'Waar is Dikkie trouwens?' vroeg Jeroen.

Een ambulance scheurde met zwaailicht
en loeiende sirene door de straten van de
stad.

Achterin lag de patiënt. Hij kreunde
zachtjes en greep naar zijn buik.

'Het werkt!' dacht Dikkie, terwijl de
ambulance met piepende banden een
bocht nam. Hij had alles onthouden wat
Jeroen hem over de blindedarm had
verteld. Meester Klaassen had de dokter
gebeld, en nu was Dikkie op weg naar het
ziekenhuis. Nu hoefde hij alleen maar een

kleine operatie te ondergaan, vijf dagen in het ziekenhuis te blijven, terwijl juf Wijs voor hem zorgde, een paar hechtingen te laten maken en dat was alles. Een kleine moeite voor het missen van de rekentoets.

De ambulance stopte. De deuren gingen open en Dikkie werd op een draagbaar naar het ziekenhuis gereden.

'Hallo Dikkie.' Het was juf Wijs met Hetty onder haar arm. 'Wat is er met jou aan de hand?'

'Blindedarm, juf,' kreunde Dikkie.

Hetty's ogen flikkerden.

'Och gut! Wat jammer nou dat ik net wegga,' zei juf Wijs. 'Ik kwam alleen maar even terug om Hetty op te halen.'

'U gaat weg?'

'Je staat er dus helemaal alleen voor. Voor die grote operatie, bedoel ik.'

Dikkie hapte naar lucht. 'Eh, misschien...'

Juf Wijs lachte. 'Leen ons even je draagbaar, Dikkie,' zei ze.

Dikkie dacht even na en liet zich toen van de draagbaar af rollen.

'Ach, het was de moeite van het
proberen waard,' zei hij.

'Dank je, Dikkie,' zei juf Wijs, terwijl ze
op de draagbaar klom. Ze steeg op en
zweefde boven de hoofden van de
verplegers.

'Ik kom terug – wanneer je het helemaal
niet verwacht,' riep ze, terwijl de
draagbaar steeds hoger steeg. Hij draaide
zich langzaam om, vloog over het dak van
het ziekenhuis en verdween uit het zicht.